# Pe. RAPHAEL GALLAGHER, C.Ss.R.

# COMPREENDER PESSOAS HOMOSSEXUAIS

## REFLEXÕES PARA O AGIR CRISTÃO

**2ª EDIÇÃO REVISTA E ATUALIZADA**

EDITORA
SANTUÁRIO

| | |
|---|---|
| Direção editorial: | Pe. Fábio Evaristo Resende Silva, C.Ss.R. |
| Conselho Editorial: | Ferdinando Mancilio, C.Ss.R.<br>Marlos Aurélio, C.Ss.R.<br>Mauro Vilela, C.Ss.R.<br>Ronaldo S. de Pádua, C.Ss.R.<br>Victor Hugo Lapenta, C.Ss.R. |
| Coordenação editorial: | Ana Lúcia de Castro Leite |
| Tradução: | Pe. Flávio Cavalca de Castro, C.Ss.R. |
| Copidesque: | Sofia Machado |
| Revisão: | Bruna Vieira da Silva |
| Diagramação e capa: | Bruno Olivoto |

Título original: *Understanding the Homosexual*
© Rafael Gallagher, C.Ss.R., 1985
ISBN 0 86217 119 9

---

**Dados Internacionais de Catalogação na Publicação (CIP) de acordo com ISBD**

G162c  Gallagher, Raphael

  Compreender pessoas homossexuais: reflexões para o agir cristão / Raphael Gallagher ; traduzido por Flávio Cavalca de Castro. - 2. ed. - Aparecida, SP : Editora Santuário, 2019.
  64 p. ; 12cm x 19cm.

  Tradução de: Understanding the Homosexual
  Inclui índice.
  ISBN: 978-85-369-0567-9

  1. Teologia moral. 2. Homossexualismo. 3. Cristianismo. I. Castro, Flávio Cavalca de. II. Título.

2018-1654                                                          CDD 240
                                                                   CDU 24

Elaborado por Vagner Rodolfo da Silva - CRB-8/9410

**Índice para catálogo sistemático:**
1. Teologia moral 240
2. Teologia moral 24

---

2ª impressão

Todos os direitos reservados à **EDITORA SANTUÁRIO** – 2019

Rua Pe. Claro Monteiro, 342 – 12570-000 – Aparecida-SP
Tel.: 12 3104-2000 – Televendas: 0800 - 16 00 04
www.editorasantuario.com.br
vendas@editorasantuario.com.br

# Introdução

Fossem quais fossem as dúvidas ocasionais na moral tradicional, não havia nenhuma quanto à homossexualidade: era um pecado *contra naturam*. Esse termo técnico manifestava a total indignação moral que rotulava a prática homossexual como "não natural". O tratamento da homossexualidade na teologia católica era sucinto, preciso e apresentado definitivamente como a única resposta possível. Afinal, não é a homossexualidade condenada pela Bíblia, pela tradição teológica e por todos os cristãos bem-pensantes?

Agora, percebemos que a questão não pode ser respondida tão simplesmente. O papa Francisco não é o único a hesitar, quando, em 2013, disse em uma entrevista que "se uma pessoa é gay e procura a Deus, e tem boa vontade, quem sou eu para julgá-la?" Há diversas vertentes na maneira como a questão da homossexualidade apresenta-se a um teólogo moral no século 21. Quando estudei teologia moral há cinquenta anos, eu pensava encontrar respostas para todos os dilemas possíveis. Posso ter encontrado respostas, mas as perguntas mudaram quando me vi envolvido no ministério junto aos homossexuais na primeira década de meu sacerdócio. A interpretação dos textos bíblicos já não era tão clara. Cada vez se tornava mais evidente, para a comunidade científica, que ainda estamos em um estágio muito inicial em nossa compreensão da maneira como se dá a identidade sexual e de gênero, sem mencionar a orientação especificamente homossexual. São problemas que devem ser considerados antes ainda de um julgamento da prática homossexual. A pesquisa foi orientada por mais dois fatores.

Na maioria dos países há uma ativa campanha política pelos direitos gays. O que muitas vezes causa tensões sociais. O direito de ser gay já não é visto como apenas uma questão particular. Alguns países legalizaram casamentos gays e uniões civis. Isso não facilita o trabalho dos teólogos. Tudo que dissermos pode ser julgado politicamente liberal ou conservador. Raramente slogans ajudam a clarear problemas morais. Boas decisões éticas devem ser feitas calma e livremente. Preconceitos, medo e afirmações sem provas não nos dispensam de ajudar as pessoas a tomar decisões conscientes.

Outro fator a ser considerado é o estágio fluido de nosso conhecimento sobre a identidade sexual e de gênero. Ainda recentemente (em novembro de 2017), a Corte Federal Constitucional da Alemanha permitiu a indicação de três gêneros nos registros de nascimento: o tradicional masculino-feminino e o novo gênero "intersexual". Não está claro qual o âmbito real dessa nova categoria, mas se afirma explicitamente que a classificação binária dos sexos, masculino-feminino, já não é legalmente adequada. O Facebook oferece 71 opções de gênero para seus usuários, desde agênero, gênero fluido até pangênero. Você pode escolher online. São questões desafiadoras. Neste pequeno livro não as examinarei, ainda que as tome como contexto no qual devemos tentar compreender a pessoa homossexual. Para compreender a pessoa gay, temos de evitar pressupor uma ideologia acrítica. Isso se aplica tanto para a tradição teológica católica, como para os pontos de vista dos grupos LGBTI (lésbicas, gays, bissexuais, transgêneros e intersexuais).

# 1
# Onde começa a compreensão do homossexual?

Para evitar possíveis preconceitos e confusões, é importante que o teólogo (padre, agente pastoral, conselheiro) vá à pessoa homossexual com um real conhecimento de sua situação. Neste pequeno livro procuro promover esse diálogo a partir de duas perspectivas. Primeiro examinarei e avaliarei uma parte da bibliografia mais importante que estudei. Depois, o que é mais importante, acrescentarei o que aprendi com os homossexuais por mais de quarenta anos, em seis diferentes países e com vários grupos de apoio à comunidade gay. Não que as lésbicas não sejam importantes, mas porque tenho menos experiência em acompanhá-las. A partir de uma compreensão da realidade, indicarei balizas para a avaliação moral da homossexualidade. Concluirei com algumas observações sobre estratégia pastoral.

Antes de se tornar um desafio acadêmico para o teólogo, a experiência de ser homossexual pode ser uma dramática e, às vezes, angustiante jornada de autodescoberta, e de adaptação para uma pessoa. Apresento, com suas próprias palavras, o testemunho de um amigo que se dispôs a escrevê-lo para mim.

> O mais importante que aconteceu comigo foi compreender que a homossexualidade era natural para mim, e vinha de Deus. Como cheguei a isso é muito complexo e penoso demais para ser relatado em sua totalidade. Os muitos anos afastado dos sacramentos, crendo que a homossexualidade era algo não natural, e que "qualquer pensamento, palavra ou ato", que a ela se referisse, seria traumático.
>
> Um resultado foi bebida e depressão. Outro foi isolamento crescente e dificuldade de comunicação. Mas, apesar de tudo isso, jamais me afastei de Deus (como o vejo agora) e nunca deixei de orar. E, mais importante, jamais deixei a missa dominical, a não ser inadvertidamente. Aos poucos, a oração (nunca muito longa, numerosa ou regular, muitas vezes informal, mas penso que sua intensidade me levou a isso) levou-me à leitura dos Salmos, cada vez mais regularmente, do Novo Testamento, de clássicos da espiri-

tualidade (principalmente a Imitação de Cristo ocupou sempre um lugar especial), e finalmente do Antigo Testamento, e um punhado de outras coisas.

Nessa altura comecei a perceber vagamente que se Deus me amava, e se (que pensamento espantoso) até mesmo me havia criado a seu modo para ser seu filho, então minha orientação para a homossexualidade devia ter um sentido. Esse deve ser meu caminho para a salvação e para Ele. Não conseguia desenvolver muito bem essa linha de pensamento, pois para mim era quase uma blasfêmia.

Então me apaixonei. Certamente, esse foi o fato mais importante em minha vida. É difícil descrevê-lo: o que quero dizer é que, bem quando tinha meus quarenta anos, toda a minha vida se centrou em um homem. Isso me tornou mais consciente da bondade desse amor, tornando mais urgente minha necessidade de o relacionar com minha fé na bondade de Deus, e convenceu-me ainda mais que agora, que eu amava uma pessoa, sua consumação desse amor não poderia ser algo errado. Então, encontrei o livro *Time for Consent*, de Norman Pittenger. Nele o teólogo, ainda que não católico, apresentava argumentos sólidos para o que eu julgava certo. Sabia que, por providência divina, eu era um homossexual, e que ele me tinha dado o amor por um homem. Agradeci-lhe esse amor, ainda que pudesse ser doloroso nas circunstâncias de minha vida. Fosse qual fosse minha maneira de pensar, a Igreja católica continuava a dizer que a experiência que estava vivendo era um pecado grave. Comecei, então, uma novena. Devo dizer que sempre tive uma confiança muito grande nessa forma de oração, e nas poucas ocasiões em que usei essa prática, meu pedido foi atendido. Quando comecei essa novena, tinha a vaga esperança que, de algum modo, seria resolvido meu terrível dilema. Gradualmente, fui sentindo a necessidade de me confessar. Foi o que fiz antes mesmo do fim da novena. Seria muito longo contar como procurei o pároco local, ainda que estivesse certo que a mão de Deus me havia conduzido até ali por um caminho, aparentemente, errado. A comunhão veio em seguida. Desde então, recebi toda a ajuda que necessitava, e aprendi a aceitar o que evidentemente era vontade de Deus. É difícil e, às vezes, deprimente, pois a vida que levo não permite que esse meu tipo de amor se manifeste.

> Na verdade, meus sentimentos agora são mais fortes do que quando me apaixonei. Agora, porém, tenho certeza de ser amado por Deus, que é certo o que sinto, e que é correta essa vida.
>
> Comungo regular e frequentemente, e assim posso falar com Deus sobre meus temores e minhas alegrias. Dúvidas e medos, que surgem de vez em quando, são acalmados pela oração (e pelos bons conselhos que estão sempre a minha disposição). O sofrimento é aliviado pela união com Jesus. O fato é que, aceitando o que sou e o que tenho (incluindo todos os dons materiais que tenho recebido abundantemente), confiando em Deus, agradecendo-lhe meu amor e até o sofrimento que ele me traz, posso ter uma vida com sentido, que de outra maneira nunca seria possível. A alternativa teria sido bebida e autodestruição. Agora me sinto protegido e sem medo, na certeza do amor de Deus.

Esse amigo, que morreu há apenas três anos, chegou a uma aceitação madura de sua homossexualidade. Aprendeu a viver com autorrespeito, era figura importante em sua profissão, entre seus vizinhos e na igreja local. Nem todas as biografias de homossexuais terão o mesmo final feliz. Uma razão é a ignorância e o preconceito de cristãos. Falta uma informação realmente confiável. O crescimento dos meios sociais tornou o problema ainda mais complexo: disseminam-se informações como se fossem infalivelmente verdadeiras em qualquer circunstância. E as informações falsas não se limitam aos círculos religiosos. A questão homossexual torna-se complicada pelo uso simplista de termos que se aproximam mais do preconceito do que de uma genuína procura da verdade. Uma autoridade fundamental em qualquer argumentação moral – a autoridade dos fatos – fica na sombra.

# 2
# Questões de terminologia

O termo "homossexual" literalmente significa "do mesmo sexo". Poderia, pois, ser usado para indicar qualquer relação com uma pessoa do mesmo sexo. É um termo que começou a ser usado em 1899. Na prática, o termo tem sentido mais restrito. A definição na *Encyclopaedia of Bioethics* (edição de 1998) é amplamente aceita: "homossexualidade é uma atração psicossexual predominante, contínua e exclusiva por pessoas do mesmo sexo".

Uma definição não esclarece tudo que precisamos saber para compreender um homossexual. A classificação do ser humano em dois grupos que se excluem mutuamente, maioria e minoria, heterossexual e homossexual, é simples demais e pode levar a conclusões questionáveis. Por exemplo, onde se encaixam os bissexuais?

A natureza da identidade e da experiência sexual deixa-nos perplexos; isso deveria nos pôr em guarda contra divisões, aparentemente, claras. As tendências homossexuais podem ser um estágio no desenvolvimento de muitas pessoas: muitos heterossexuais podem ter ocasionalmente inclinações homossexuais; preferências e comportamentos sexuais nem sempre são os mesmos. Entre os extremos da heterossexualidade exclusiva e da homossexualidade exclusiva pode haver uma gama de atitudes sexuais e de condições que não são devidamente cobertas pelas duas classificações exclusivas de orientação sexual "homo" (mesmo) ou "hétero" (outro).

Na medida do possível, devemos tentar compreender a "pessoa" como um ser humano, antes de lhe impor a etiqueta de homossexual ou heterossexual. Essa maneira de encarar a questão não é tão abstrata como poderia parecer. Esse modo de ver é o recomendado pelo *Catecismo da Igreja Católica* (n. 2357), que insiste que devemos ver a pessoa primeiro como um ser humano, antes de decidir que etiqueta sexual lhe dar. Etiquetas podem ser enganadoras porque podem sugerir toda uma personalidade e um modo de vida que não correspondem à realidade. Por exemplo, se dizemos que Shakespeare era heterossexual, isso não provocará nenhuma resposta especial. Se alguém, porém, apenas supuser que ele era homossexual, como já ouvi dizer, começará logo a pensar que, finalmente, desvendou os segredos de Hamlet ou Macbeth.

Deve-se ainda distinguir entre *condição* homossexual (atração exclusiva por pessoas do mesmo sexo) e *atos* homossexuais (atos sexuais entre pessoas do mesmo sexo). Isso é importante porque nos ajuda a perceber a natureza real da verdadeira homossexualidade, que não é o caso de quem, ocasionalmente, pratica atos homossexuais. Muitas pessoas podem ter atividade homossexual; não é preciso imediatamente classificá-las como homossexuais. A reação muito forte diante da atividade homossexual ocasional pode despertar reação totalmente diferente da que se procurava, forçando a pessoa a assumir uma identidade homossexual ainda não comprovada.

O que estou sugerindo é importante para jovens que usam a Internet e as redes sociais. Há grande número de sites com títulos como: "Os clientes podem escolher entre dez opções de gênero", ou até clínicas que oferecem "seleção de gênero". Se nossas atitudes (adultas) são preconceituosas e superenfatizamos traços sexuais com a exclusão de outras características pessoais, os jovens podem sentir-se mais à vontade no mundo oferecido pela Internet, anônimo e, aparentemente, mais tolerante. Além do duvidoso anonimato oferecido por esses sites, muitos estão guiados por interesses financeiros. As taxas cobradas por alguns são escandalosas. Jovens, confusos ante a diferença entre atividade homossexual e verdadeira condição homossexual, deveriam ser aconselhados a fugir desses sites. Quanto mais compreensivos e dotados de discernimento forem os adultos com quem eles falarem, tanto mais provável que cheguem a uma conclusão tranquila.

A faixa dos tipos de sexualidade é ampla. A divisão apenas entre heterossexuais e homossexuais é enganadora. Uma pessoa não deveria ser considerada "homossexual", mas como pessoa que, entre outros fatores, tem na sua constituição um elemento importante que a leva para uma preferência sexual e emocional por pessoas de seu mesmo sexo.

> O engano de não considerar em primeiro lugar a pessoa, mas concentrar-se em suas preferências sexuais, é uma forma de sexismo. Paradoxalmente, esse é um engano que se pode encontrar entre os que se opõem a todas as formas de homossexualidade, e entre os que fazem campanha pelos direitos dos homossexuais.

Os heterossexuais deveriam ser cuidadosos ao classificar outros como homossexuais. E os que estão em dúvida quanto a sua identidade sexual deveriam, também, ser cuidadosos antes de concluir que, de fato, são homossexuais, ou aceitar ser assim classificados. O desenvolvimento e a diferenciação sexual são lentos na maioria dos casos.

# 3
# Dissipando alguns mitos

Um obstáculo que impede adequada compreensão da homossexualidade é a persistência de alguns mitos sobre o tema.

**Quantos são os homossexuais?**
A resposta será diferente conforme a qualidade das estatísticas. Aceitei a opinião fundamentada que em meu país, a Irlanda, de 4% a 6% da população é gay. Ou seja, em torno de 40.000 pessoas. Pode-se discutir o número e os critérios de definição usados. O certo é que há um substancial número de homossexuais na Irlanda. O fato de serem minoria não os torna menos importantes como pessoas.

**Quem são eles?**
Um mito persistente associa homossexuais com algumas profissões. Isso não tem base. Encontram-se homossexuais em todas as profissões, classes sociais e nos diversos níveis de educação. O fato de, em determinada época, os homossexuais parecerem mais numerosos em algum lugar ou profissão depende mais da

solidariedade deles entre si, do que do atrativo de alguma profissão ou de algum lugar.

### Podem eles se casar?

Estamos diante de duas questões. Uma é a presunção que o casamento seja uma realidade exclusivamente heterossexual. A segunda, mais recente, é a legalização, em alguns lugares, do casamento homossexual. Um breve comentário sobre essas duas questões. Conheço homossexuais que contraíram um casamento heterossexual, geralmente para esconder que, de fato, são homossexuais. Podem até mesmo ter filhos. Poucos desses casamentos perduraram, e eu me oporia fortemente à pressão para que um verdadeiro homossexual contraia um casamento heterossexual. É uma receita para o desastre. Uma das razões para que, em certas culturas, se queira arranjar uma "esposa" para o gay, é a vontade de afastar a impressão de alguns: "não, ele não é realmente homossexual; veja, ele tem uma esposa". A imagem popular do homem homossexual como sendo efeminado, e da mulher homossexual como sendo agressivamente masculina não corresponde a minha experiência. A maioria dos gays e das lésbicas que conheço não seriam reconhecidos por aparências e maneirismos que a cultura dos tabloides lhes atribui.

Quanto ao casamento civil de homossexuais é outra questão. Por definição, para a Igreja católica só a união heterossexual é casamento sacramental. Alguns países, entre os quais a Irlanda, têm atualmente legislação referente aos casamentos gays e uniões civis. Cada país tem sua maneira de enfrentar essa questão civil. Onde se discute a questão, será bom levar em conta um aspecto do debate, que constatei na Irlanda. A luta pela autoaceitação, em geral, é mais difícil em sociedades em que há preconceitos contra os gays. O reconhecimento de uniões civis não é "cura" para a autoaceitação, mas pode ajudar a criar um clima diferente em torno das pessoas gays.

### Homossexuais são abusadores de menores?

Não há prova que o número de homossexuais abusadores seja maior do que entre o resto da população heterossexual. O abuso de menores deve ser deplorado como crime grave, não importa quem sejam os abusadores. Seria melhor que a sociedade se concentrasse na eliminação dos abusos de menores, em vez de fomentar a ideia que ele ocorre só entre pessoas de orientação gay.

### Os homossexuais são promíscuos e incapazes de um relacionamento duradouro?

Quando o estigma social contra os gays é forte, eles tendem mais a ter relacionamentos secretos e a assumir uma vida social de gueto. Em um clima assim é mais difícil manter amizades adultas. Onde há uma aceitação maior por parte da sociedade, é mais provável que eles sejam capazes de manter relacionamentos mais adequados.

A persistência de mitos sobre a homossexualidade é sinal de preconceito e intolerância. Porque muitos nunca se dão oportunidade de encontrar-se com homossexuais, é compreensível que se perpetuem as imagens estereótipas. Além disso, é preciso que os homossexuais e os grupos LGBTI deem sua contribuição para a sociedade. Devem eles ser encorajados a estabelecer diálogo com os membros da sociedade, e não fazer nada que possa, paradoxalmente, afastar pessoas que estão tentando compreendê-los. Preconceito não é característica de apenas um grupo da sociedade. A humildade é virtude cristã necessária para todos.

Temos de aceitar que, de algum modo, na providência divina algumas pessoas são homossexuais. Podem ser, estatisticamente, uma minoria, mas não é justo concluir que sejam imorais. Emoções homossexuais são uma realidade para essas pessoas. Não são heterossexuais, nem bissexuais, intersexuais ou transgêneros. Para todos nós o clima social seria melhor se pudéssemos aceitar que entre nossos amigos e vizinhos, colegas e parentes, possa haver algumas pessoas que, entre outros aspectos de sua personalidade, são homossexuais.

# 4
# Origens e causas

Muitos homossexuais farão objeção à ideia de pesquisar origens e causas de sua condição. Estão certos, na medida em que o que se deve examinar não é a condição de homossexualidade em si mesma, mas a origem do desenvolvimento psicossexual em geral. Mais informação quanto a isso poderá também ajudar pais e familiares que podem, indevidamente, sentir-se culpados por não ter educado adequadamente seus filhos, sendo, de algum modo, culpados do "problema". Vou ser cauteloso no debate sobre origem e causa, porque as evidências científicas não são conclusivas, nem convincentes em todos os detalhes.

Ao pesquisar o desenvolvimento psicossexual, logo de início encontramos sete indicadores que podem levar à diferenciação entre machos e fêmeas: cromossomos, gônadas, hormônios, órgãos reprodutivos internos, características sexuais secundárias, papel de gênero e identidade sexual. Geralmente, espera-se que essas sete características se desenvolvam harmoniosamente, mas podem ocorrer anomalias. Houve alguns avanços nesses quarenta anos, durante os quais acompanhei esses debates, e agora a sexologia é mais profissional. Vou comentar duas linhas gerais de investigação.

Em primeiro lugar, temos os determinantes físicos de um possível comportamento sexual, que, até certo ponto, depende dos órgãos reprodutivos da pessoa e de suas respostas corporais. Ainda que as linhas gerais do desenvolvimento psicossexual sejam relativamente claras e aceitas, as relações entre os estágios e suas possíveis combinações são tão variáveis que eu aconselharia cuidado ao chegar a conclusões definitivas em casos particulares. Estudos sobre como o cérebro se torna funcionalmente diferenciado como dominantemente feminino ou masculino, ainda são inconclusivos. Se bem que poucos cientistas apontem causas estritamente fisiológicas, ainda há pesquisadores que afirmam estar fazendo descobertas significativas. Por exemplo, um estudo recente (2017) da North Shore University, de Illinois, afirma que foram encontradas duas regiões dos cromossomos (números 13 e 14) que apresentam variantes chamadas de genes SLITRK6 e TSH, que explicariam as origens da homossexualidade. Não parece que esse estudo encerre o debate. Outros afirmam que o homem homossexual tem um "gene gay". Continuo muito cético quanto à possibilidade de o provar definitivamente.

Há, contudo, um aspecto das pesquisas em andamento que pode ajudar os agentes pastorais e as famílias de pessoas homossexuais. A exata influência de fatores hormonais no desenvolvimento da sexualidade humana pode ser incerta, mas a pesquisa está a indicar que há uma clara possibilidade que esses fatores tenham uma importância prática para nosso relacionamento com homossexuais. Agentes de pastoral e famílias devem levar em conta a possibilidade de um elemento da orientação sexual de uma pessoa ser determinado antes do nascimento. Dada a possibilidade de, já antes do nascimento, o cérebro ser condicionado pelos hormônios sexuais, um indivíduo pode não ter escolha quanto ao resultado final. A orientação sexual poderia ser fixada no período pré-natal, da mesma maneira que a cor dos olhos ou do cabelo. Repito que sou cético quanto à possibilidade de se ter uma explicação definitiva e abrangente dos determinantes fisiológicos da orientação sexual. Porém, se isso ajuda a compreender uma pessoa, isso é o bastante para o agente de pastoral ter sensibilidade ao tratar de outros casos.

> Há alguns homossexuais que não têm escolha. Sem liberdade, uma pessoa assim não deve ser automaticamente qualificada como imoral, da mesma maneira

> que uma pessoa com deficiência visual não pode ser responsabilizada se, no pré-natal, seu sistema visual não seguiu os padrões normais.

Na Internet há muita informação facilmente acessível sobre biologia e orientação sexual. Isso pode ser interessante, mas não pode ser tomado como infalível. Até agora nenhum determinante para a orientação sexual foi demonstrado de forma conclusiva. Se essas teorias ajudam-nos a compreender ainda que um único homossexual, devemos agradecer. Até conhecer mais fatos, eu não iria além disso em meu aconselhamento aos agentes de pastoral ou aos pais.

Uma segunda linha de pesquisa sobre as origens e causas da homossexualidade poderia ser, em termos gerais, apresentada como a dos fatores ambientais. Da mesma maneira que as origens fisiológicas da identidade de gênero e do comportamento sexual ainda não foram cientificamente comprovadas, também os fatores ambientais (tais como estrutura familiar, indicadores psicológicos, dados sociológicos) ainda não nos podem levar a uma teoria geral. As teorias de Freud, Jung, Adler, ou Lacan são recebidas com certo ceticismo pelos teólogos morais. Os pressupostos, em que essas teorias se baseiam, mostraram-se inadequados em alguns casos. Creio que a teologia moral deveria participar ativamente desses estudos científicos, principalmente para chegar a uma melhor compreensão do papel de pais, estrutura familiar e educação inicial na formação de um homossexual. Ainda que algumas complexas teorias apresentadas não possam aplicar-se a um caso individual, podem ajudar-nos a ter consciência da complexidade da questão da homossexualidade. Não será isso ganho pequeno para uma igreja que, no passado, pensou ter respostas para todos os problemas. Acontece que foi a pergunta que mudou.

As linhas de pesquisa fisiológica ou ambiental levaram-me a aceitar a possibilidade do que se poderia chamar de inversão do papel sexual. Fui ensinado a pensar que a homossexualidade era, pura e simplesmente, uma *perversão* da ordem da natureza. Um fato, nos meus primeiros anos de ministério com homossexuais, deixou marca profunda em meu modo de pensar. Eu tentava convencer um homem que ele devia parar com suas práticas homossexuais porque, como lhe dizia, "o simples pensar assim já é contra a natureza". Respondeu-me: "Mas, padre, para mim contra a natureza é pensar em fazer sexo com uma mulher". Isso me obrigou a refletir.

Agora admito a possibilidade de a homossexualidade ser uma real *inversão*. Devido às variações nos padrões estatisticamente normais de crescimento físico e ambiental, a identidade de um adulto pode ser, irreversivelmente, determinada antes que seja atingida a normalidade estatística. Quando do nascimento, o sexo anatômico da criança determinará o estilo de sua educação, que uma determinada cultura considera adequada para um homem ou uma mulher. Um estágio posterior dá-se na infância, quando a identidade psicológica de gênero começa a estabilizar-se. Outros estágios, na adolescência e na idade adulta, irão revelar as preferências eróticas da pessoa, e sua capacidade de manter relações de amor. Os quatro estágios precisam ser harmônicos. Contudo, no caso do homossexual, o sexo anatômico e a identidade de gênero podem não corresponder com as preferências eróticas e a capacidade para relações de amor. É nesse sentido amplo que proponho a possibilidade de uma inversão sexual (em vez de automaticamente classificar o homossexual como um pervertido) como ajuda para compreender alguns homossexuais. Não estou propondo isso como uma teoria geral abrangendo todos os homossexuais: isso eu não poderia admitir.

O resultado final da orientação sexual da pessoa depende da interação entre circunstâncias ambientais e estrutura fisiológica. Qual a mais importante, e como interagem pode variar de pessoa a pessoa. Deveríamos hesitar antes de dar resposta e julgamento definitivo. A maioria dos homossexuais enquadra-se nos padrões humanos de aptidão social, inteligência e competência no trabalho. Ser homossexual é um fato para algumas pessoas. Uma avaliação moral não deve basear-se apenas nesse fato, da mesma maneira que o fato de ser heterossexual não é por si mesmo base suficiente para essa avaliação.

A maturidade psicossexual bem ajustada é um processo difícil para todos nós. Nunca é fácil nem automático atingir o equilíbrio entre os vários níveis de maturidade sexual. Idade cronológica e maturidade psicossexual não são a mesma coisa. Essa observação, banal aliás, tem contudo sua importância. Estamos ainda em um estágio inicial em nosso conhecimento do desenvolvimento da homossexualidade, que também é apenas um dado de nosso, ainda limitado, conhecimento quanto ao do desenvolvimento sexual em sentido mais amplo e inclusivo.

# 5
# Atitudes da Igreja

A alienação e a solidão de muitos homossexuais tornaram-se ainda mais penosas devida à atitude de membros da Igreja. Estatisticamente, os homossexuais são uma minoria. Como outras minorias na sociedade, eles podem achar que são vítimas de discriminação. Esse sentimento de "ser diferente" torna-se ainda mais forte pelo pressuposto de alguns na Igreja que todo homossexual é imoral. Palavras duras, como "intrinsecamente mau", são compreendidas pelos homossexuais como se referindo a toda sua vida, ainda que com o termo se quisesse qualificar apenas alguns atos homossexuais. Agora pretendo refletir, muito brevemente, sobre as atitudes da Igreja diante da homossexualidade. Essas atitudes baseavam-se, geralmente, em interpretações da Escritura, reforçadas pela tradição teológica. Todos sabemos como é difícil a interpretação do discurso moral da Escritura, o que se torna claro no caso particular da homossexualidade.

Algumas passagens, que tradicionalmente eram interpretadas como uma alusão à homossexualidade, hoje são interpretadas como se referindo também a outras questões. A referência clássica ao pecado de Sodoma (Gn 19,1-19), como sendo exclusivamente o de homossexualidade (sodomia), hoje é questionada por exegetas sérios. Eles dizem que o texto do Gênesis se refere também a outras questões morais. A falta de hospitalidade e a idolatria do povo de Sodoma violavam práticas fundamentais da vida judaica. É em um contexto de práticas cultuais que o Gênesis fala de homossexualidade. Práticas homossexuais faziam parte dos cultos de Canaã e, portanto, deviam ser rejeitadas pelo povo de Deus, cujo único Senhor era Javé.

É preciso olhar de forma mais cuidadosa as citações da Escritura quando percebemos que essas passagens se referiam a situações peculiares. Nas citações clássicas (Rm 1,18ss, 1Cor 6,9ss) Paulo está preocupado com a questão da idolatria: pensava-se que certas formas de comportamento homossexual era o castigo de Deus para povos infiéis e idólatras. Em nenhum desses casos Paulo quer fazer um julgamento moral da homossexualidade como uma condição humana. Sua ira volta-se, de modo geral, contra o nível de devassidão sexual. A isso leva a luxúria: a eliminação de qualquer senso de responsabilidade pessoal de viver como pessoa criada à imagem de Deus. Paulo está preocupado, em primeiro lugar, com a luxúria como consequência inevitável da idolatria. A homossexualidade é apenas uma, ainda que importante, demonstração desse tema básico.

> Esses breves comentários bíblicos mostram que, na análise da homossexualidade, o fato de não se levar em conta o contexto original dos textos bíblicos pode levar a um fundamentalismo que alimenta a homofobia. Seria igualmente simplista, noutro extremo, querer dizer que na Escritura não existe nenhuma preocupação com a homossexualidade enquanto possível manifestação de idolatria.

O maior desafio na interpretação da Escritura, quanto a avaliação moral da homossexualidade, não se limita ao problema exegético da correta interpretação dos textos. Parece que o fenômeno da inversão sexual não era considerado como uma possibilidade nesses textos bíblicos a que me referi. Inversão sexual é uma descrição mais exata do verdadeiro homossexual, para quem não seria natural qualquer perspectiva de sexo heterossexual.

Quando a Bíblia condena a homossexualidade como pecado, está condenando desejos lascivos voltados para membros do mesmo sexo. Os dados científicos disponíveis para os autores bíblicos não lhes permitiam tratar de outro aspecto da homossexualidade, que hoje nos parece evidente: casos em que a pessoa não tem escolha, a não ser aceitar que a homossexualidade é sua identidade diante de Deus.

Para o teólogo moral, o sentido primário de qualquer texto bíblico é o que ele tinha para os autores originais em seu contexto histórico. Como esse sentido é aplicado a circunstâncias históricas diferentes depende, entre outros fatores, de duas condições principais. Primeira: as afirmações bíblicas sobre qualquer questão devem sempre ser vistas no contexto bíblico de criação, graça, aliança, pecado e redenção. Segunda: é preciso que o contexto, ao qual se aplica um texto, apresente uma razoável similaridade com o contexto original.

A autoridade da Escritura, ao avaliar a homossexualidade, deve ser respeitada do mesmo modo como quando é aduzida em outras áreas da vida ética. Apenas esbocei como isso pode ser difícil. Os passos envolvidos – compreender o texto bíblico, aplicá-lo às novas situações, colocá-lo no contexto geral do plano salvífico de Deus revelado na Bíblia – exigem tempo e cuidado. Atalhos nesse processo levam a reduzir a Escritura a um tipo de computador com respostas de *google* para tudo. Não é assim que se presta homenagem à Palavra de Deus. Em meu ministério com homossexuais o maior desafio não foi com os textos bíblicos. O desafio foi chegar a um acordo com algo de que os autores bíblicos não podiam enfrentar: a possibilidade de a homossexualidade ser uma inversão sexual na vida de algumas pessoas.

# 6
# Avaliação moral

Como um ancião na altura de seus setenta anos, Santo Afonso disse ter estudado teologia moral por quarenta anos; continuava, porém, a ler encontrando sempre novidades. Posso dizer o mesmo de mim, mas com uma agravante. Ainda que tenha continuado a ler e estudar, esqueci muita coisa. Felizmente, eu ainda tinha as anotações que usei na primeira edição deste pequeno livro. Em vez de reimprimir o texto original, estou a reescrevê-lo, à luz do que aprendi em meus quarenta anos de luta para compreender a teologia moral. Depois de revisar várias opiniões que encontrei em meus estudos, vou delinear uma formulação de minha posição no tocante a uma avaliação moral da homossexualidade.

Na tradição católica que estudei, a homossexualidade era uma perversão da ordem natural. Todo ato homossexual era condenado como intrinsecamente mau. A ênfase era posta nos atos cometidos pelo homossexual. Esses atos eram, pura e simplesmente, contra a natureza, porque iam contra um fato "óbvio" na natureza: os órgãos sexuais eram um dom de Deus para a procriação heterossexual. Atos homossexuais, por sua própria natureza, jamais podem ser procriativos. Em meus estudos, logo se tornou claro que a tradição católica passava muito rapidamente ao julgamento de "atos", como se fossem os únicos elementos a serem considerados. Isso ia na linha geral da evolução da teologia moral no período de recepção das decisões do Concílio Vaticano II.

A moralidade dos atos homossexuais, como de todos os atos humanos, deveria determinar-se segundo os princípios gerais da teologia moral. A implicação mais importante dessa afirmação é que a moralidade da homossexualidade não é um "caso à parte": deve ser considerada no âmbito dos critérios usados em todos os julgamentos morais. Comecei a estudar a questão homossexual à luz desses critérios, tentando sempre relacionar meus conhecimentos ao que também estava aprendendo da experiência no ministério junto aos grupos homossexuais. Os critérios tradicionais para o julgamento moral podem ser assim apresentados: a natureza da própria ação, a motivação de quem age, as circunstâncias da ação, e as prováveis consequências previsíveis. Esse era meu ponto de vista nos primeiros anos de ministério. Reflete uma compreensão particular da teologia moral, que dá prioridade à tomada de decisão como o foco primeiro na vida moral. O cerne da decisão era a ação escolhida.

Os critérios para um julgamento moral (classicamente chamados de *fontes moralitatis*, as fontes da moralidade) eram, geralmente, aceitos pelos teólogos morais de minha geração: havia ácidas disputas quanto a seu significado e a devida proporção entre eles. Essa é outra história. Minha caminhada, nessa altura, levou-me a ser mais atento à pessoa que age, do que à ação em si. Relato parte dessa minha jornada pelos pontos de vista em meus estudos sobre os homossexuais.

a) Os atos homossexuais são intrinsecamente maus. Intrinsicamente, isto é, "por sua própria natureza". Não se admitiam exceções. Esse era o modo de pensar dos manuais de teologia moral que estudara (Damen-Visser), e isso parecia inquestionável. Todo ato homossexual era desordenado, porque jamais poderia corresponder à ordem inscrita na natureza, que se presumia imutável. Nessa altura, o conselho que eu poderia dar seria sublimação e abstinência, com o apoio de cuidadosa fuga de todas as ocasiões de pecado. Amizades celibatárias eram teoricamente possíveis, mas seriam consideradas ocasião próxima de pecado.

b) Os atos homossexuais são essencialmente imperfeitos. Essa era, quanto ao ponto de vista anterior, a modificação proposta por alguns teólogos nos anos setenta. Esse ponto de vista aceita o pressuposto que a norma ideal da sexualidade se resume na união de amor entre homem e mulher. De fato, admite também que algumas pessoas não podem atingir esse ideal, devido a sua orientação homossexual. Propunha-se que relações homossexuais poderiam ser admitidas como um mal menor, e, para algumas pessoas, como única possibilidade de chegar na vida a uma aceitável dignidade humana. Reconhecia-se que a sexualidade humana tem um sentido que vai além do casamento e da procriação. De começo, isso tinha sentido para mim, especialmente na medida em que o objetivo do casamento já não era visto em termos de fim primário e secundário. Essa avaliação da homossexualidade como "essencialmente imperfeita" atraiu-me inicialmente: não questionava abertamente a definição católica do casamento, e abria espaço para um discreto apoio às amizades homossexuais, desde que isso não parecesse apresenta-las como norma moral.

c) Os atos homossexuais são avaliados segundo seu significado relacional. Essa é uma interpretação mais avançada e mais liberal do ponto de vista tradicional. John McNeil foi uma voz importante nesse debate, uma vez que seu livro (*The Church and the Homosexual*, 1976) recebeu um *imprimi potest* de autoridades eclesiásticas, isso significava que sua opinião podia ser discutida seguramente. O critério central apresentado por essa opinião é a qualidade da relação, implicando isso que a homossexualidade, por si mesma, é moralmente neutra. É moral ou imoral conforme for ou não expressão de uma relação de amor. Muitos teólogos (particularmente John Harvey) objetaram às conclusões de McNeil, mas, pelo menos se iniciava na Igreja um debate sobre a homossexualidade. Amor mútuo, fidelidade e cuidado humano não são propriedade exclusiva de um clube de heterossexuais.

d) Atos homossexuais são perfeitamente legítimos. Não foram muitos os teólogos católicos que propuseram essa opinião. Segundo eles, o problema não é a homossexualidade; uma Igreja patriarcal é que a faz um problema. As relações homossexuais foram ativamente encorajadas pelos defensores dessa posição. Consideravam correta e moral a plena expressão física de uma relação homossexual estável. Não aceitando esse ponto de vista, vi mais claramente que todo o debate sobre a homossexualidade se fixara na questão dos atos. Estava, cada vez mais, insatisfeito com a distinção que aprendera nos manuais de teologia moral: alguns atos podem ser considerados objetivamente maus, mas subjetivamente permissíveis em certas e precisas circunstâncias. Essa evolução de meu ponto de vista sobre a homossexualidade era, de fato, a evolução da minha concepção que a teologia moral não é primariamente uma ciência das decisões sobre atos, mas a arte da formação do caráter.

Essas quatro opiniões refletem o conjunto de tensões na igreja de minha geração. Em um extremo, são representativas da visão essencialista de uma lei natural estritamente interpretada; no outro, temos uma opção existencial comprometida com um modo particular de vida. Antes de apresentar uma formulação de meu ponto de vista, nesta altura da vida, apresento algumas reflexões gerais.

O desafio da homossexualidade não pode ser avaliado moralmente fora de uma compreensão da sexualidade em geral. Nesta altura, temos de reconhecer que, na compreensão teológica do sexo, houve uma mudança na ênfase dada à procriação. A procriação já não pode ser considerada como a única e principal norma no julgamento de um comportamento sexual. A realidade pessoal do encontro sexual é variada demais para ser condensada no prisma unívoco da procriação. Mesmo em um casamento heterossexual, a maioria dos atos sexuais já não envolve a procriação em cada caso. Aceitamos isso em nossa compreensão do casamento, e isso afeta nossa compreensão da homossexualidade. Se queremos enfrentar de maneira crível os inegáveis problemas da sexualidade em nosso tempo, temos de abandonar decididamente uma interpretação do sexo dominada pela procriação, por outra mais pessoal e relacional. A preocupação dominante de todo teólogo moral é a banalização dos encontros sexuais, sem dúvida nenhuma agravada pelo tsunami das redes sociais de comunicação e da pornografia facilmente acessível. Para muitos, o sexo tornou-se mercadoria barata e disponível. Aí está o cerne do desafio atual. A homossexualidade continua sendo questão intrigante para o teólogo moral. Se colocamos a questão no contexto mais amplo do desafio que é compreender a sexualidade, a homossexualidade pode tornar-se menos intrigante.

Há ainda outra questão levantada por nosso uso das palavras "natural" e "atos". Se dizemos que a homossexualidade é "contra a natureza", temos de ser capazes de explicar o que significa ser natural. Natural refere-se à essência de algo, é algo que existe idealmente, ou é algo que existe sem qualquer interferência externa (artificial)? Há significados diferentes para o que se considera "natural", o que logicamente significa que há diferentes sentidos para o que dizemos ser "contra a natureza". Não vejo como poderíamos evitar, na teologia moral, a terminologia de "natureza humana". A meu ver, deveríamos usá-la parcimoniosamente, e temos de levar em conta o que as várias ciências estão ajudando-nos compreender. Há também o desafio de atribuir qualificação moral a um "ato" particular. Temos de estar continuamente atentos para não separar a ação, moralmente considerada, do contexto humano em que ela se dá. Essa não é uma consideração tão abstrata como poderia parecer. Nada pode ser avaliado moralmente, sem que antes se estabeleça a liberdade do agente.

Reafirmar que moralidade é uma análise das ações de uma pessoa, não apenas a análise de uma ação considerada em um vácuo teórico, essa não é uma posição cômoda para o teólogo. Percebo que alguns poderiam achar que estou minando os alicerces da moralidade objetiva pelo fato de dar tanta ênfase a uma visão personalizada da natureza e a uma compreensão contextualizada das ações. Não aceito essa avaliação, porque o que estou defendendo é que se leve em conta todos os aspectos objetivos de uma ação. Estou tranquilo ao afirmar que minha posição é de rejeição de uma avaliação, exageradamente, física da natureza e da sexualidade. Estou também tranquilo ao afirmar que minha posição é de rejeição de uma descuidada consideração não física das questões sexuais. Somos pessoas corporalmente sexuais.

> Um julgamento na área da sexualidade deve avaliar devidamente tudo que isso envolve: o significado do corpo humano, o objetivo do dom divino da sexualidade, o que significa ser uma pessoa livre e, mais importante, o que significa o dom da salvação em Cristo.

A parte mais fácil da teologia moral é delinear o ideal da vida sexual. Nós o descrevemos como um dom total de si mesmo, que favorece o verdadeiro amor, é doador de vida e sistema harmonioso para a manutenção de relações na sociedade. Apresentamos o ideal, mesmo sabendo que, muitas vezes, ficamos aquém do proposto. A tarefa principal da teologia moral é, como o compreendo agora, tornar possível às pessoas formar seu caráter de modo que possam viver de forma adequada e serena, sempre a caminho de uma liberdade mais profunda e da conversão.

Proponho o *princípio do ideal prático* como regra que funciona na pastoral junto aos homossexuais. Esse princípio exige certa explicação.

O princípio diz que devemos mirar o ideal, mas sendo, ao mesmo tempo, práticos. Acho que o modo como o papa Francisco usa a palavra "prático" é um bom modelo para nós. Para ele, prático não é o oposto de teórico. O contraste entre prático e teórico é pedagogicamente útil em um ambiente acadêmico. No ambiente pastoral, ser prático é outra coisa. A realidade primeira é Cristo; e enquanto o contemplo (talvez usando um ícone ou o crucifixo) vejo nessa mesma imagem o homossexual que está comigo.

O princípio que proponho é uma formulação melhor que as outras que encontrei em meus estudos, tais como: princípio do compromisso, princípio do mal menor, princípio da exceção baseada na epikeia. Esses princípios podem ser usados; prefiro, porém, a formulação *"princípio do ideal prático"*, devido a sua ênfase mais positiva e inclusiva.

A vida moral do cristão é, essencialmente, uma moralidade de conversão. Jamais deveríamos perder de vista o ideal da sexualidade, para o qual somos levados por nossa procura de conversão. Devido a nossa condição humana ou a circunstâncias particulares, escolhemos o que é praticamente possível no momento. Há dois enganos em que podemos incidir no acompanhamento pastoral de homossexuais. O primeiro é o engano sexista, que nos leva a considerar a vida de alguém apenas sob o ponto de vista de sua atividade sexual. Outro engano é dar a impressão que não há nada que se possa fazer. Há sempre algo que podemos fazer. Podemos apresentar o que, de fato, é a vida em Cristo, deixando que a pessoa julgue o que de melhor pode ser feito em suas circunstâncias. O agente pastoral propõe: o homossexual julga qual a escolha correta nessa altura de sua caminhada para a conversão.

A limitação da avaliação católica tradicional da homossexualidade está em sua falta de realismo. Como podemos presumir que o carisma, que por definição é um dom gratuito, foi dado para essa pessoa em particular, lésbica ou gay? O erro da visão moderna extremada está em reduzir o ideal da conversão a um nível inaceitável. O princípio do ideal prático permite uma mediação positiva entre esses extremos. De modo particular, abre espaço para a irreversível condição homossexual, que é um fato na vida de algumas pessoas.

No contexto dos quatro pontos de vista que esbocei anteriormente, vejo minha proposta como uma formulação mais positiva de b). Devido a nossa condição humana, haverá sempre um elemento de incompletude em nossas expressões de sexualidade. A questão crítica, que o teólogo moral deve ajudar-nos a discernir é: quando uma manifestação de nossa incompletude em nossas ações implica uma *culpa* moral? Do meu ponto de vista geral sobre gays e lésbicas, um ato torna-se imoral quando, depois de uma análise do significado do próprio ato, de sua motivação, das circunstâncias de sua execução, das possíveis consequências, a pessoa não fez um esforço sério para viver conforme o ideal prático aqui e agora. Se depois se perceber que foi uma decisão errada, com o tempo o processo de discernimento guiará a pessoa para uma decisão melhor.

Dar ênfase ao equilíbrio entre os ideais cristãos no tocante à sexualidade, e a sensibilidade compassiva pela pessoa concreta segue a tradição da teologia moral apresentada por Santo Afonso: suas palavras em uma dissertação escrita em 1755 merecem ser lembradas:

> "Alguns afirmam que basta conhecer os princípios. Estão completamente enganados. Os princípios são poucos, e todos os conhecem, mesmo aqueles que têm apenas um conhecimento elementar da moralidade. A maior dificuldade na ciência moral é a correta aplicação dos princípios aos casos particulares, aplicando-os de modos diferentes segundo as diversas circunstâncias".

Minha intenção ao escrever a segunda edição deste pequeno livro é simples: ainda estou tentando chegar a uma maior compreensão da pessoa gay ou lésbica. Não estou tratando diretamente de outras questões levantadas pelo pangênero, transgênero ou gêneros-fluidos. Estou concentrando-me nos homossexuais, embora espere ter mostrado como o contexto das questões levantadas é radicalmente diverso daquele no qual fiz minhas considerações quarenta anos atrás. Ainda que minha atenção esteja voltada para os homossexuais, tudo que estou sugerindo é um caminho que podemos seguir até um modo mais adequado de viver na prática o ideal cristão. O conselho do papa Gregório Magno é válido:

> "Nosso modo de falar deve ser adaptado às características dos ouvintes, de modo a ser adequado para o indivíduo em suas necessidades pessoais, cientes que um remédio que cura uma doença agrava outra. O pão, que fortalece a vida dos robustos, pode ser prejudicial para as crianças pequenas".

A tarefa da teologia moral é ajudar as pessoas a desenvolverem um caráter capaz de aceitar a plenitude da verdade. Pode ser uma caminhada lenta, gradual e penosa. Procurar atingir o ideal, cuidando de ser, ao mesmo tempo, uma ajuda prática, dever possível para o agente de pastoral que quer ajudar outros no crescimento. Uma carga, mal colocada, pode, de fato, impedir qualquer crescimento.

# 7
# Moralidade e tratamento médico de homossexuais

Isso é motivo de preocupação por muitas razões. Muitos homossexuais sentem-se ofendidos com a simples ideia de serem "doentes", que precisam de tratamento. Outros, que não são homossexuais, veem a homossexualidade como perigo tão grande para uma sociedade estável, que é preciso usar todos os meios para a extinguir.

Percebi, nesse debate, importantes diferenças culturais. Onde há fortes movimentos fundamentalistas (como no Brasil) a terapia pode ser influenciada por ideologias religiosas de qualidade duvidosa. O juiz federal Waldemar de Carvalho, do DF, que em setembro de 2017 aprovou o tratamento para a cura de homossexuais, contrariando uma decisão do Conselho Federal de Psicologia que o proibiu em 1999, provocou clamor nacional e repercutiu fortemente nas redes sociais. Onde não há essa presença forte do fundamentalismo, como na Rússia, o debate assume outro tom. Devido a um regime de repressão política, que tenta esconder que há homossexuais no país, há um florescente comércio na Internet, oferecendo vários tratamentos hipnóticos e pseudorreligiosos para livrar homossexuais de seu "vício". Notei que esses tratamentos não são baratos. Onde não há grupos fundamentalistas fortes, nem regime de repressão política, como na Alemanha, a ideologia do gênero dá a impressão que cada um pode mudar sua orientação sexual. Há vários sites na rede que oferecem programas atrativos, de novo por alto preço.

Permitindo sua aplicação em diversas culturas, apresento minha opinião em linhas gerais. A decisão da American Psychiatric Association (15 de dezembro de 1973), retirando a homossexualidade de sua lista oficial de desordens mentais, marcou um ponto de inflexão no debate científico. O ponto central da declaração é que a homossexualidade não se classifica propriamente como doença psiquiátrica, e que, até que a homossexualidade seja mais bem compreendida como condição humana, não é possível dar-lhe uma classificação científica. Isso continua sendo verdade, e se comprova ser uma abordagem de senso comum em estudos recentes, como *Building a Bridge*, publicado por James Martin, em 2017. Conheci aqui na Irlanda alguns homossexuais que foram encaminhados para tratamento em casas especializadas. Saíram do tratamento tão homossexuais como quando foram admitidos. De certo modo, saíram mais em conflito consigo mesmos, porque tiveram ainda de carregar o estigma social de "loucos".

Métodos de tratamento usados para "mudar" ou "converter" homossexuais vão do brutal (como lobotomia, castração química, drogas que provocam náusea) ao aparentemente mais sofisticado (hipnose, cirurgia de mudança de sexo, terapia de aversão). Além do fato que essas terapias não têm alto grau de sucesso que se possa verificar, julgo que a questão moral mais importante está na área crítica de uma resposta humana.

Nossa consciência como cristãos deveria alertar-nos a tratar muito cuidadosamente qualquer tentativa de manipular as pessoas, principalmente manipulação mediante o controle externo do comportamento. Por "controle do comportamento" entendo a tentativa de modificar o comportamento de outra pessoa por meios que não são uma resposta dada livremente e baseada em uma opção livre e consciente. As terapias de controle do comportamento têm pouca consideração pela liberdade e dignidade humanas. Têm mais a ver com uma abordagem utilitária da ética e com a política de regimes repressivos, do que com a visão cristã da radical liberdade e inviolabilidade da pessoa. Ninguém deve ser privado do primeiro dom de Deus, que é a liberdade. Todos precisamos de ajuda e apoio para viver de acordo com o ideal de liberdade: "terapias de conversão" para lésbicas e gays são o oposto disso.

Devido à duvidosa moralidade das práticas envolvidas e, mais, à falta de evidências da taxa de "sucesso", concordo com os agentes médicos que evitam usar terapias de aversão, ou controle técnico do comportamento de homossexuais. Porque esses métodos estão, cada vez mais, disponíveis na Internet, um homossexual poderia querer experimentá-los: a disposição para cooperar pode aumentar a probabilidade de mudança. Contudo, a indevida coerção para levar os relutantes a se submeter a esses tratamentos não deve ser tolerada no contexto de uma visão cristã da moralidade.

Terapias, em que especialista médico e paciente são parceiros, poderiam ter sentido no contexto de uma pessoa em busca de aceitação de sua identidade sexual. Do mesmo modo como consultamos psiquiatras, psicólogos ou psicanalistas em outras áreas de nossa vida. Mais provável que uma mudança de orientação sexual é um melhor ajustamento pessoal e social. Em sua tese abrangente (*Committed Monogamous Same-sex Relationships*, DCU 2015), Angela Hanley defendeu de forma muito convincente que as principais questões para gays são a luta por autoaceitação, a procura de uma relação homossexual íntima estável e a esperança de uma relação consigo mesmo enraizada em um compromisso de fé. Refletindo sobre minha experiência pessoal com indivíduos e grupos homossexuais, concordo que as necessidades mais importantes são a autoaceitação e o ajustamento social no tocante à orientação sexual da pessoa. A posição defendida por D. J. West em 1977 continua válida. Ele diz que esse tipo de política:

> "... será inevitavelmente criticado por alguns como capitulação diante da neurose do paciente, e por outros como uma aprovação médica da imoralidade; em muitos casos, porém, nada mais é que a aceitação honesta da realidade da situação. Pelo menos ela inclui passos não irrevogáveis. Se o paciente conclui que a vida gay não corresponde a suas preferências, ele está livre para voltar para uma vida de celibato. A meta do terapeuta é afastar medos irracionais, ampliar os horizontes do paciente, mas não determinar a escolha que deve fazer".

# Reflexões finais

Na primeira edição deste pequeno livro, sua seção final intitulava-se "reflexões pastorais". O novo título que lhe dei pode parecer mudança sem importância, mas para mim é importante. Há quarenta anos, eu olhava para a teologia moral como uma teoria de normas objetivas a serem aplicadas na pastoral prática. A subentendida distinção entre "objetivo" e "subjetivo" continua sendo útil, mas agora menos importante para mim. Ela dá a impressão de a moral ser algo "lá fora", na teoria: pastoralmente é aplicada com o uso de princípios que justifiquem, na prática, opções em desacordo com as normas. A impressão dada era que a teologia pastoral era um discurso de segunda classe, necessário porque a vida é complexa, mas de fato não tão "boa" como a própria teologia moral.

> Toda teologia, por sua natureza, deve ser pastoral. As considerações morais de um teólogo são pastorais porque a primeira consideração, a pedra angular de todo o edifício da teologia moral, é a pessoa diante da tomada de decisões.

Aos poucos comecei a perceber porque Santo Afonso iniciou sua obra-mestra na teologia moral com um tratado sobre a consciência, que ele chama de porta de entrada de toda a teologia moral. Espero ter tido em mente essa mentalidade pastoral durante toda esta obra.

Minhas reflexões finais:

1) Uma pessoa lésbica ou gay nunca deveria ser rejeitada pela comunidade cristã apenas por sua condição homossexual. Nem deveria ser acolhida com mera piedade e simpatia por causa de sua "infeliz" condição. Quando há homossexuais em nossa comunidade (e onde não os há?), ela tem o imperativo pastoral de se informar mais sobre como, no plano de Deus, algumas pessoas são homossexuais. Foi pelo encontro com homossexuais, que partilharam comigo a história de sua vida, que aprendi um pouco sobre a homossexualidade. E ainda estou aprendendo.

2) Isso significa que a comunidade cristã pode precisar reexaminar se suas atitudes diante dos homossexuais deve-se mais a preconceitos do que à aceitação de evidências factuais. Preconceitos inconscientes, resultado de programas educacionais tendenciosos, podem tornar praticamente impossível um diálogo adulto com homossexuais. Cada comunidade cristã tem

a responsabilidade de ser uma fraternidade guiada pela Eucaristia, em que pessoas de todas os temperamentos e tendências – de todos nós pecadores – podem encontrar seu lugar.

3) Mesmo propondo uma atitude tolerante com os homossexuais, o estilo de vida homossexual não deve ser artificialmente apresentado como atraente. Tenho visto coisas demais para defender que todos os problemas da vida podem ser resolvidos pelo fato de alguém "sair do armário". Homossexualidade, em si e por si, não é base para alguém reivindicar direitos humanos: essa base é o fato de todos sermos irmãs e irmãos, sob a paternidade do único Deus. Quanto a eles, sinto-me mais feliz quando os homossexuais, ao mostrar legitimamente que estão felizes com sua homossexualidade, não reduzem apenas a sua sexualidade sua legítima procura de aceitação social. Em primeiro lugar são pessoas, com suas necessidades como todos nós. A descriminalização dos atos homossexuais consensuais não desestabilizou sociedade que a adotaram. As uniões civis podem ser benéficas com legislação apropriada.

4) Os homossexuais católicos têm os mesmos direitos e necessidades como os demais que querem viver seguindo a fé católica. A disciplina sacramental compete às autoridades eclesiásticas, e devem ser respei-

tadas por todos os membros da Igreja. Há um princípio tradicional da teologia moral que pode ser importante nesta altura: ubi dubium, ibi libertas (onde há dúvida, há liberdade). Há muitas dúvidas sobre a homossexualidade; tanto quanto à evidência científica, como no tocante à interpretação teológica: é possível conceder o benefício da dúvida à boa consciência de um homossexual sincero, que está procurando viver segundo a vontade de Deus.

5) A área mais crítica para a lésbica ou o gay (e sem dúvida para todos nós) é chegar a um relacionamento pessoal satisfatório. Em um mundo predominantemente heterossexual, muitos homossexuais estão solitários, sem autoestima, e podem ser levados a procurar encontros superficiais como o único caminho disponível de aceitação, ainda que temporária. Encontros em que os homossexuais são acolhidos e onde podem discutir seus problemas em um clima de confiança, em um ambiente de acolhida cristã, podem ser um passo intermediário da autoaceitação para uma melhor integração na sociedade. Não recomendo que esses grupos se tornem igrejas-guetos, isoladas de todos nós. Um próximo passo para maior integração social onde esses encontros de homossexuais são possíveis, seria a promoção de encontros ocasionais, para os quais pudessem ser convidados os outros familiares.

6) A Internet e redes sociais estão influenciando o comportamento sexual de um modo ainda desconhecido. Insisto que haja cuidado em seu uso. Vivemos em um período em que a expansão do gênero está em alta. O cardeal Vincent Nichols, de Westminster, recentemente (março de 2018) tratou disso. Amplas áreas da vida, que antes pareciam estáveis, mostram-se agora menos firmes, e tudo pode "ser jogado para o ar". A direção das igrejas locais devia dar prioridade a estruturas no seio da comunidade de fé, nas quais essas questões pudessem ser debatidas. A onda do gênero por um bom tempo estará entre nós.
7) Quanto à indicação de um "tratamento" para os homossexuais, aconselho cuidado semelhante. Terapia psiquiátrica e acompanhamento psicológico certamente são benéficos nas devidas circunstâncias da vida. Jamais devem ser impostos a alguém, inclusive para as pessoas homossexuais. Podem ser benéficos quando procurados livremente. Em vez de tentar "mudar" a pessoa, as realidades de uma situação particular, geralmente, são mais bem atendidas pela ajuda para que se ajuste à sua orientação como a vê no momento. Diante do que eu disse sobre a fase cultural de gênero-fluido, que estamos vivendo, é prudente que os homossexuais aceitem que as respostas finais para suas questões pessoais talvez exijam paciência.

8) Um problema para homossexuais, como para muitas minorias, é a tendência de interpretar tudo na vida sob o enfoque de quem se sente oprimido. É compreensível, mas não precisa corresponder sempre a toda a realidade. Reconciliar-se com uma história de opressão e estabelecer amizade com opressores do passado, não é necessariamente traição aos princípios. Estou pensando no, ainda frágil, processo de paz em meu próprio país (Irlanda), e continuo muito interessado em ver como os colombianos se reconciliarão com seu passado violento. Por isso, creio que será útil levar grupos de homossexuais (onde existem) a refletir sobre outras áreas a serem levadas em conta na vida cristã: entre outras, o sentido da oração, as exigências da justiça, os gritos da Mãe Terra e a compreensão da vocação. Isso não deveria ser pretexto para evitar a questão homossexual. É antes um esforço para demonstrar que nem tudo na vida se reduz a uma única questão. Sexo é importante, mas não é a única coisa na vida.

Reescrever este pequeno livro foi, para mim, uma boa caminhada. Muita coisa mudou nesses trinta anos desde sua primeira publicação. O discernimento atento de todos os fatos continua sendo a base sobre que se fazem julgamentos morais maduros. O fato mais importante que os homossexuais devem levar em conta é que foram feitos à imagem de Deus, capazes de amar e de ser amados. Como esse amor pode expressar-se é o dilema moral para o qual somente a pessoa homossexual pode dar uma resposta. Como membros da comunidade cristã, é nosso dever promover uma comunidade em que a Igreja possa, realmente, ser o sacramento da presença de Cristo. Se, ao fazê-lo, levamos alguma esperança para as pessoas homossexuais, o resultado terá valido a pena.

# Índice

Introdução ..................................................... 3

1. Onde começa a compreensão do homossexual? ................................. 7

2. Questões de terminologia ........................... 13

3. Dissipando alguns mitos ............................. 17

4. Origens e causas ......................................... 21

5. Atitudes da Igreja ....................................... 29

6. Avaliação moral .......................................... 35

7. Moralidade e tratamento médico de homossexuais ...................................... 49

Reflexões finais ............................................... 55

A marca FSC® é a garantia de que a madeira utilizada na fabricação do papel deste livro provém de florestas que foram gerenciadas de maneira ambientalmente correta, socialmente justa e economicamente viável.

Este livro foi composto com as famílias tipográficas Bellevue, Footlight, Segoe e Times New Roman e impresso em papel Offset 90g/m² pela **Gráfica Santuário**.